LES PRIÈRES DE JÉSUS

Illustrations © Copyright 1982 by H. Proost & Cie
Turnhout - Belgium
D 1982/3559/003
ISBN 90.6150.002.8

IMRPIME EN BELGIQUE

LES PRIÈRES DE JÉSUS

Illustrations de Rita Goodwill

TABLE DE MATIÈRES

Livre du Deutéronome 6, 4

JÉSUS PRIE MATIN ET SOIR

A Nazareth, en Galilée, où vivait Jésus enfant, les Juifs, le peuple d'Israël, priait.

Chaque jour, matin et soir, tout le monde récitait le "Shema".

En hébreu, shema veut dire "Ecoute".

Voici le début de cette prière:
"Ecoute, Israël, le Seigneur notre Dieu est le seul Dieu. Tu l'aimeras de tout ton cœur..."

Marie et Joseph, les parents de Jésus lui expliquaient que le peuple d'Israël avait été choisi par Dieu pour être "son" peuple.

Toute sa vie, matin et soir, Jésus a prié ainsi.

Et toi, est-ce que tu pries chaque jour?

Psaume 92

JESUS PRIE A L'ECOLE ET A LA SYNAGOGUE

En classe, les enfants juifs récitaient des psaumes. Ce sont des prières en forme de poèmes. Il y en a 150 dans la Bible, et les enfants en savaient quelques-uns par cœur.

Voici un passage d'un psaume de louange que Jésus a probablement récité à la synagogue, le jour du sabbat:

Il est bon, Seigneur,
de te rendre grâce,
de chanter pour ton nom,
de redire ta bonté
du matin jusqu'au soir.

Toi aussi, tu peux apprendre des psaumes, et les dire pour prier, pour chanter à Dieu ta joie et ton amour.

Matthieu 4, 1-11
Marc 1, 12-13
Luc 4, 1-13
Psaume 23

JESUS PRIE DANS LE DESERT

Dans le pays de Jésus, il y a des terres arides, des déserts.

Il est bon, pour prier, de chercher un endroit tranquille, où l'on est seul. Aussi, devenu homme, Jésus est allé au désert pour jeûner et prier afin de se préparer à annoncer la Bonne Nouvelle de l'Evangile. Il y est resté quarante jours.

C'est dur de rester quarante jours sans manger et sans voir personne. Mais Jésus savait que Dieu prenait soin de lui et sans doute a-t-il récité de ce psaume:
Le Seigneur est mon berger,
je ne manque rien.
Il me met au repos
en de verts pâturages.
Il me mène près des eaux
où je reprends la vie.
Il me guide par le bon chemin.

Oui, Dieu garde tous les hommes. Toi aussi, Il te garde.

Matthieu 14, 23
Marc 1, 35-36 et 6, 46
Luc 4, 42; 5, 16 et 6, 12

JESUS PRIE SUR LA MONTAGNE

Pour annoncer la Bonne Nouvelle de l'Evangile, Jésus parcourait son pays, à pied, avec ses disciples. Souvent, il s'éloignait pour prier Dieu dans le silence, de préférence tard dans la nuit ou très tôt le matin.

Quand les disciples se réveillaient et voyaient que Jésus était parti, ils le cherchaient et le trouvaient seul dans la campagne ou sur la montagne, priant son Père du ciel.

Et toi, quand aimes-tu prier?
à quel endroit aimes-tu prier?

Matthieu 23, 9
Epitre aux Romains 8, 14-

JESUS APPELLE DIEU "ABBA"

Les Juifs n'avaient pas l'habitude d'appeler Dieu "Père". Dieu leur paraissait trop grand et trop loin.

Jésus appelle Dieu "Père" et même, quand il prie, il emploie le mot "Abba" qui peut se traduire par "Papa".

Jésus montre ainsi toute la tendresse qu'il a pour Dieu.

Et il nous dit aussi que Dieu est heureux quand nous le prions en l'appelant Père, puisque nous sommes ses enfants et qu'il nous aime tous.

Et toi, aimerais-tu prier Dieu en l'appelant "Abba"?

Matthieu 6, 9-13
Luc 11, 1-4

LA PRIERE DU SEIGNEUR

Un jour, Jésus priait. Ses disciples le re-
gardaient et l'admiraient. Quand il eut
fini, ils lui dirent: "Seigneur, apprends-
nous à prier"

Et Jésus répondit:
  Quand vous priez, dites:

Notre Père qui es aux cieux,
que ton Nom soit sanctifié,
que ton Règne vienne,
que ta Volonté soit faite sur la
terre comme au ciel.
Donne-nous aujourd'hui
notre pain de ce jour,
pardonne-nous nos offenses
comme nous pardonnons à ceux qui
nous ont offensés.
et ne nous soumets pas à la tentation
mais délivre-nous du mal. Amen.

*Le Notre Père, c'est la grande prière de tous les
chrétiens.*

Matthieu 6, 14-15
Marc 11, 25

PRIERE ET PARDON

As-tu remarqué que, dans sa prière, Jésus nous fait dire: "Pardonne-nous nos offenses, comme nous pardonnons..."

C'est très important, cela. Jésus insiste beaucoup. Un jour, il a dit à ses disciples: Si, quand vous voulez prier, vous vous rappelez que vous vous êtes disputé avec quelqu'un, pardonnez-lui pour que votre Père qui est aux cieux vous pardonne aussi vos fautes.

Dieu désire pardonner à tous, mais nous devons, de notre côté, être en paix avec les autres.

Matthieu 6, 5-6

PRIER DANS UN ENDROIT TRANQUILLE

Si tu as un secret à dire à ton meilleur ami, tu ne vas pas le crier très fort au milieu de beaucoup de personnes. Tu t'éloigneras avec lui et vous vous parlerez dans un endroit tranquille.

Jésus nous dit que quand nous voulons prier Dieu tout seul, lui parler, il faut que nous quittions les autres et le bruit pour trouver un lieu de silence et de paix: notre chambre, un coin du jardin...

Jésus, lui, allait dans la campagne, ou bien sur la montagne.

Où vas-tu trouver un coin pour prier?

Matthieu 6, 7-9
Luc 18, 9-14

LA PRIERE DU CŒUR

Quand tu pries Dieu, tout seul, tu peux, bien sûr, réciter des prières que tu connais. Tu peux aussi lui parler du fond de ton cœur, lui dire que tu l'aimes, que tu l'admires, que tu le remercies, que tu lui demandes telle ou telle chose.

Si tu récites des prières comme un moulin à paroles, crois-tu que tu parles à Dieu?

Mais dis à Dieu ton amour et tes désirs. Il t'exaucera en t'accordant ce qui est le meilleur pour toi. Il t'aime tant qu'il sait ce dont tu as besoin.

Alors prie de tout ton cœur, dans la confiance.

Matthieu 11, 25-27
Luc 10, 17-22

L'ACTION DE GRACE DE JESUS

Jésus avait envoyé ses disciples, deux par deux, prêcher pour préparer sa venue. Les disciples, heureux d'avoir accompli leur mission, revinrent raconter à Jésus ce qu'ils avaient fait.

Alors, Jésus, plein de joie pria ainsi: "Je te bénis, Père, Seigneur du ciel et de la terre, d'avoir caché ta puissance aux sages et aux intelligents et de l'avoir révélée aux tout-petits."
En priant, Jésus rendait souvent grâce à Dieu pour ce qui arrivait de bon.

Penses-tu à dire merci à Dieu?

Matthieu 17, 1-8
Marc 9, 2-8
Luc 9, 28-36

LA PRIERE D'AMOUR DE JESUS

Un jour, Jésus prit avec lui ses meilleurs amis, ses disciples Pierre, Jacques et Jean et ils s'en allèrent sur une haute montagne.

Et là Jésus priait.

Alors son visage resplendit comme le soleil et ses vêtements devinrent blancs comme la lumière. C'était si beau, si éblouissant que les disciples furent obligés de baisser les yeux.

C'était l'amour de Dieu pour Jésus qui le transfigurait.

Nous, nous ne voyons pas Dieu. Mais croyons de toutes nos forces à son amour, à sa présence en nos cœurs.
Penses-y quand tu pries.

Matthieu 21, 21-22
Marc 11, 22-25

PRIER AVEC FOI

Jésus disait à ses disciples qu'il est très important de prier avec foi. Avoir la foi en Dieu, c'est être sûrs qu'il nous aime, que nous pouvons l'appeler à notre aide.

La foi de Jésus était si grande que tout ce qu'il demandait lui était accordé.

Notre foi est souvent bien petite et bien faible. Mais Jésus nous dit que même une foi petite et faible peut être puissante. Et puis, comme une graine qu'on met en terre germe et peut donner une grande plante, notre foi peut grandir.

Je crois, Seigneur, mais fais grandir ma foi.

Jean 11, 39-44

JESUS PRIE POUR LAZARE

Jésus avait un ami, Lazare, et il allait souvent se reposer dans sa maison, à Béthanie.

Lazare mourut et Jésus n'arriva chez lui que quatre jours plus tard. Il alla au tombeau de Lazare et, comme il l'aimait, il pleura. Puis, levant les yeux vers le ciel, il pria ainsi: "Père, je te rends grâce de m'avoir exaucé. Je sais bien que tu m'exauces toujours".

Puis, d'une voix forte, il cria: "Lazare, sors!" et celui qui était mort sortit du tombeau.

Alors, les disciples se rappelèrent que Jésus avait dit: "Tout ce que vous demanderez avec foi dans la prière, vous le recevrez."

Marc 11, 17-18
Isaïe 56, 7

LA PRIERE AU TEMPLE

Le Temple de Jérusalem était immense. Les Juifs s'y réunissaient pour prier ensemble et offrir des sacrifices (des animaux qu'on tuait) à Dieu.

Dans la cour, le parvis, il y avait des marchands d'animaux pour les sacrifices. Jésus n'en était pas content.

Un jour, Jésus se mit en colère et chassa les marchands en disant: "Il est dit dans la Bible: ma Maison est une maison de prière pour toutes les nations".

Tous les peuples ont leurs maisons de prière. C'est à l'église que nous nous réunissons pour prier Dieu.

Aimes-tu prier dans une église?

Matthieu 26, 30
Marc 14, 26
Psaumes 113 et 118

LA PRIERE DE LOUANGE
DE JESUS

Quand Jésus célébrait la Pâque avec ses disciples, pendant un repas, ensemble ils chantaient des psaumes, les psaumes de fête.

Ces psaumes commencent tous par le mot "Alléluia" qui veut dire "Dieu soit béni".

Louer quelque chose ou quelqu'un, c'est en dire du bien, montrer qu'on y attache du prix.

Louer Dieu, c'est lui dire notre admiration, notre bonheur de le connaître. Louer Dieu, c'est une manière de prier, et on peut aussi prier en chantant.

Terre entière, chante ta joie au Seigneur, Alléluia! Alléluia!

Matthieu 26, 26-29
Marc 14, 22-25
Luc 22, 17-20
I Corinthiens 11, 23-25

PRIERE DE JESUS
LE JEUDI SAINT

Jésus a tant aimé les hommes qu'il a voulu demeurer toujours avec eux. Alors, à son dernier repas, il a institué l'Eucharistie.

Jésus prit du pain; il leva les yeux au ciel, il dit la bénédiction, il rompit le pain et en donna un morceau à chacun des apôtres en disant: "Ceci est mon corps livré pour vous. Prenez et mangez."

Il bénit aussi le vin et le donna à boire en disant: "Buvez-en tous, ceci est mon sang." Et il ajouta: "Faites ceci en mémoire de moi".

Ce sont les paroles que redit le prêtre à la messe et quand nous communions, c'est Jésus lui-même qui vient en nous.

J'ai reçu le Dieu vivant et mon cœur est plein de joie.

Jean 17, 1-26

JESUS PRIE POUR TOUS
LES HOMMES

Après ce repas qu'on appelle la Cène, Jésus pria longuement son Père.

Il leva les yeux au ciel et il dit: "Père, l'heure est venue. Glorifie ton Fils afin que ton Fils te glorifie."

Jésus a prié ce soir-là pour ses disciples, afin qu'ils aient foi en Dieu et aussi pour qu'ils restent unis et annoncent courageusement l'Evangile.
Il a prié aussi pour chacun de nous, pour tous ceux qui, au cours de l'histoire du monde croiraient en lui.

Car Jésus veut que tous les hommes forment un seul corps, vivant pour toujours auprès de Dieu son Père.

Tout homme est un frère.

Matthieu 26, 36-46
Marc 14, 32-42
Luc 22, 40-46

JESUS PRIE POUR AVOIR LA FORCE

Jésus savait qu'il allait souffrir beaucoup et mourir pour tous les hommes. Et il était angoissé en pensant à cette souffrance.

Alors, au Jardin des Oliviers, près de Jérusalem, il s'éloigna un peu de ses disciples pour prier et tomba, la face contre terre.

"Père, dit-il, si c'est possible que cette souffrance s'éloigne de moi." Mais il ajouta: "Cependant, que ce ne soit pas ma volonté, mais la tienne, Père, qui soit faite."

Trois fois, Jésus pria ainsi et Dieu, son Père, lui donna la force de faire face à la mort.

Toi aussi, si tu manques de courage, prie Dieu de te donner sa force.

Luc 23, 34 & 46

LA PRIERE DE JESUS
EN CROIX

On avait mis Jésus en croix pour le faire mourir, comme s'il était un criminel. Et Jésus priait son Père pour ceux qui venaient de le crucifier: "Père, pardonne-leur, ils ne savent pas ce qu'ils font."

Et sa dernière prière sur la croix a été une prière d'amour et de confiance envers son Père: "Père, je remets mon esprit entre tes mains."

Toute sa vie, de son enfance jusqu'à sa mort, Jésus a aimé son Père.

Toi aussi, aime Dieu toute ta vie.

Actes des Apôtres 3, 1-10

LA PRIERE AU NOM DE JESUS

Après la mort de Jésus, sa résurrection et son ascension, les apôtres Pierre et Jean, allant prier au Temple, virent un homme infirme qui mendiait.

Pierre lui dit: "Je n'ai pas d'argent à te donner, mais ce que j'ai, je te le donne: je crois en Jésus Christ et en son nom je te dis: lève-toi et marche."

Et voici que l'homme fut guéri et il marchait.

Jésus avait appris à Pierre à prier avec foi.

La foi, c'est comme une graine qui grandit. Prie pour que ta foi grandisse.

Je crois en toi, Seigneur.

PRINTED IN BELGIUM BY

proost

INTERNATIONAL BOOK PRODUCTION